인어공주

인어공주

글 · 그림 이미라

육지에서 멀리 떨어진 넓은 바다 가운데로 나가면 물은 수레국화처럼 짙푸르고 유리처럼 맑아요.

그 바다 깊은 곳, 가장 깊은 곳에 아름다운 인어의 궁전이 솟아 있지요.

그곳에는 인어의 왕과 왕의 어머니, 왕의 6명의 딸들이 살고 있었습니다.

공주들은 모두 아름다웠지만 특히 막내 공주는 그 누구보다 아름답고 그 누구보다 사랑스러웠지요.

✧

오늘은 막내 공주가 15세가 되어 처음으로 바다 밖 구경을 갈 수 있게 된 날이랍니다.

“너무 번거로운 치장이에요, 할머니.”

“호호. 참으렴. 귀한 신분에는 그에 어울리는 치장이 필요하단다.”

“정말 예쁘구나, 막내야.”

“그래. 세상에서 제일 예쁘구나.”

예쁘게 꾸민 인어공주는 모두에게 인사하며 거품처럼 가볍게 바닷물을 가르며 올라갔습니다.

인어공주가 바다 위로 막 머리를 내밀었을 때는 아름다운 황혼이었는데 저편에 훌륭한 한 척의 배가 보였어요.

'아, 아름다워라. 저게 뭘까?'

궁금한 마음에 배 가까이 헤엄쳐 간 공주의 눈에 화려하게 차려 입은 많은 사람들이 보였습니다.

그런 그들 사이에서 유난히 눈에 띄게 아름다운 사람은 커다란 검은 눈을 가진 왕자였습니다.

그날은 왕자의 생일이었던 거지요.

밤이 으슥해지고 난 후, 갑작스러운 폭풍이 일어나고 바다는 들끓기 시작했습니다.

위태로이 흔들리던 왕자님의 배도 부서져 가라앉고 말았지요.

인어공주는 다급히 왕자를 구해 안전한 곳으로 헤엄쳐 갔습니다.

✧

이윽고 육지에 다다른 인어공주는 모래밭에 왕자를 뉘고 햇빛이 잘 비칠 수 있게 보살폈던 거지요.

이때 근처의 건물에서 아가씨들이 한 떼 걸어 나왔습니다.

인어공주는 급히 바닷가 바위 뒤로 몸을 숨기고 한 아가씨가 왕자를 간호하는 모습을 지켜보았습니다.

눈을 뜬 왕자님은 그의 곁에 앉아 있는 그 아가씨를 보고 미소지어주었습니다.

그것을 보는 인어공주는 왠지 눈물이 났지요.

✧

바다로 힘없이 돌아온 인어공주는 언니들의 물음에도 아무 대답도 하지 않고 늘 그 왕자님의 일을 잊지 못해 울적해하곤 했습니다.

"얘, 넌 무엇을 보았니?"

"난 강으로 들어가서 마을 아이들을 보았는데…."

"할머니, 인간들은 물속에 빠지지만 않으면 언제까지라도 살 수가 있나요?"

"인간들도 역시 죽지. 더구나 그 일생이 우리보단 훨씬 짧단다. 우리들은 300년이나 살잖니. 그러나 우리에게는 없는 영혼이란 것이 있어서 죽게 되면 그 영혼이 우리들은 볼 수 없는 아름다운 세상으로 올라가게 된단다."

"아…, 나의 생명이 줄어든다 해도 좋아. 단 하루만이라도 영혼을 지닌 인간이 되어보고 싶어. 그럴 수만 있다면…."

“그런 소리 하면 못 써. 물론 인간이 되는 방법이 전혀 없는 건 아니야. 인간들 중에서 누군가가 너를 진심으로 사랑해준다면…, 너도 인간이 되어 죽지 않는 영혼을 지닐 수 있어. 너를 진심으로 사랑해서 영원한 사랑의 맹세를 하게 될 때, 그 사람의 영혼을 얻게 되는 거야.

다시 말해서 그 인간은 영혼을 너에게 양보하면서도 그 자신도 그대로 갖고 있게 되는 셈이지.

하지만 그런 생각은 하지도 말아라. 인간이 너를 위해 사랑을 맹세할 리도 없거니와, 또 인간이 뭐가 좋으냐? 예쁜 꼬리 대신 그 보기 흉한 받침대를 2개나 가지고 다니며 거드름을 피우는 꼴이라니….”

그날, 할머니는 막내 인어공주를 위로하기 위해 큰 잔치를 열었답니다.

막내 공주는 세상에서 가장 아름다운 목소리로 노래를 불렀지만 금세 우울해져서 그 자리를 살그머니 빠져나오고 말았습니다.

견딜 수 없이 왕자님이 그리워진 인어공주는 그만 무서운 마녀를 찾아갈 생각까지 하게 되었답니다.

"마침 좋은 시간에 네가 온 거란다. 오늘만 지났더라면 앞으로 1년간은 그 기회가 오지 않았을 거야."

"그 약을 먹는 건가요?"

"그래, 네 꼬리가 예쁜 다리로 바뀔 거야. 그렇지만 그때의 아픔은 지독할 거야. 한 발짝씩 걸을 때마다 바늘방석 위를 걷는 것처럼 고통스러울 텐데 그래도 좋으냐?"

✧

"견딜 수 있어요. 인간의 다리만 가질 수 있다면…."

"한번 인간이 되면 영영 바다로 되돌아오지 못해. 게다가 왕자가 다른 사람과 결혼하게 된다면 이튿날 아침, 너는 심장이 터져 물거품이 되어버릴 거야. 그래도 좋다면 이 바닷속에서 가장 아름다운 네 목소리와 이 약을 교환하자꾸나."

해변가에 도착한 공주는 두려움을 떨치고 마법의 약을 마셨습니다. 그리고 너무 큰 통증에 정신을 잃어버리고 말았지요.

"아…, 당신은…, 당신은 누구입니까? 어디에서 왔지요?"

✧

대답을 할 수 없는 인어공주는 슬픈 눈빛으로 왕자를 바라보기만 했습니다.

왕자는 이 아름다운 소녀가 말을 할 줄 모르는 것에 안타까워하면서 궁으로 데리고 갔습니다.

한 발 한 발 걸을 때마다 너무도 아팠지만 왕자와 함께라는 생각에 인어공주는 고통을 참을 수 있었습니다.

✧

인간의 옷을 입은 인어공주는 그 누구보다도 아름다웠지만 말을 할 수가 없었습니다.

다른 여인들처럼 왕자를 위해 노래를 부를 수도 없었습니다.

그래서 인어공주는 춤을 추었습니다.

그것은 아직껏 그 누구도 본 적이 없는 멋진 춤이었고, 인어공주의 슬프고도 맑은 눈동자는 다른 사람들의 노래보다 더 많은 말을 해주었습니다.

인어공주가 아주 좋아진 왕자는 언제나 인어공주와 함께 지냈습니다.

왕자는 마치 동생을 귀여워하듯이, 그렇게 공주를 사랑했으나 아내로 삼을 생각은 없는 듯했습니다.

왕자의 신부가 되지 못하면 인어공주는 물거품이 되어버릴 텐데요.

'왕자님, 당신은 저를 좋아하지 않나요? 저는 당신과 함께하려고 가족도… 목소리도…, 그 모든 것을 버리고 왔는데요….'

“나는 이 세상에서 네가 제일 좋아. 너는 누구보다도 착하고 나를 위해주니까…. 그리고 너는… 그 아가씨…, 나를 구해준 그 아가씨와 참 많이 닮았거든. 그 아가씨를 두 번밖에 보지 못했지만 이 세상에서 내가 사랑하는 유일한 사람이야….”

왕자는 이어서 말했습니다.

✧

"하지만… 그 아가씨는 성직에 평생 몸을 바쳤다는구나. 신은 그래서 널 보내주신 걸까? 이토록 그녀와 닮은 너를…."

'왕자님을 구한 건 저예요. 제가 구해드린 거란 말이에요!'

얼마 뒤 왕자님이 결혼할 것이라는 소문이 떠돌았습니다. 그리고 소문과 같이 왕자는 이웃 나라 공주를 만나러 길을 떠났습니다.

“부모님의 말씀을 어길 수 없어 만나러 가야 해. 그러나 그 공주와 꼭 결혼하지 않아도 돼. 내 신부감은 전에 말한 그 아가씨를 빼면 너뿐이거든. 너와 결혼할 거야.”

왕자의 그런 마음을 알게 된 인어공주는 행복했습니다. 영원히 잊을 수 없을 만치….

휘영청 달 밝은 밤, 언니들이 찾아와서 걱정스런 얼굴을 하였지만 공주는 행복한 웃음을 지어주었답니다. 행복했거든요.

✧

이윽고 왕자 일행은 이웃 나라에 도착했습니다.

이웃 나라에선 왕자 일행을 환영하는 잔치가 며칠 동안 계속되었습니다.

그런데 웬일인지 이웃 나라의 공주는 보이지 않았습니다.

사람들의 얘기로는 먼 곳에서 수업 중이라고 했습니다.

✧

그러던 중 공주가 돌아왔다는 소식이 오고, 모두의 앞에 공주가 모습을 드러냈습니다.

인어공주는 아직껏 한 번도 본 적 없는 그 미모에 깜짝 놀라고 말았습니다.

“당신…, 바로 당신이었군요. 해변에서 나를 구해 준 상냥한 그 사람. 나는 너무 행복해. 다시는 만날 수 없으리라고 단념했던 사람을 내 신부로 맞이하게 된 거야. 너도 기뻐해주겠지?”

인어공주는 가슴이 터져 죽을 듯한 슬픔을 참고 왕자를 향해 웃어주었습니다.

그리고 두 사람의 결혼식이 있었습니다.

해가 뜨면 인어공주는 죽음을 맞이하게 되겠지요.

"막내야. 우리가 너를 구해내려고 마귀할멈에게 머리채를 주고 힘을 빌렸어."

"이 칼을 받아. 해가 뜨기 전에 이 칼로 왕자의 가슴을 찔러야 해. 왕자의 피가 다리에 떨어질 때 다시 꼬리가 생기는 거란다."

"해 뜨기 전에 어서!"

하지만 차마 사랑하는 사람을 해칠 수 없던 인어 공주는 스스로 바닷물에 뛰어드는 쪽을 택했습니다.

공주는 자신의 몸이 거품이 되어가는 것을 느꼈습니다.

그때 햇님이 떠올랐어요. 햇살이 싸늘한 죽음의 바다 위의 물거품을 따사롭게 비추고 있었습니다.

그런데 이상하죠.

인어공주는 조금도 자신이 죽은 것 같지 않았던 거예요.

하늘엔 수없이 많은 맑은 공기가 떠다니고 있었습니다.

"우리들은 공기랍니다. 지금의 인어 아가씨처럼…. 가엾은 인어 아가씨…. 아가씨는 정성을 다했어요. 수없는 고통을 잘 참아서 이제 요정의 세계로 올라가는 거예요. 우리들도 좋은 일을 해나가면 300년 후엔 죽지 않는 영혼을 얻게 된답니다."

공기가 된 인어공주는 자신의 두 눈에 고이는 눈물을 느끼면서 신이 계시는 곳을 향해 두 손을 높이 들었습니다.

✧

그때 배 안이 소란스러워지며 왕자님과 아름다운 신부가 인어공주를 찾는 모습이 보였습니다.

그러나 끝내 인어공주는 그 모습을 보이지 않았고 두 사람은 물거품을 슬픈 듯이 내려다보았습니다.

✧

마치 공주가 파도 사이에 몸을 던진 것을 알기라도 하는 듯이….

이미 사람의 눈에 보이지 않게 된 인어공주는 두 사람의 이마에 입 맞추고 장밋빛 구름을 타고 하늘 높이 올라갔습니다.

마음속 깊이

두 사람의 행복을 기원하면서…!

『인어공주를 위하여』 특별 부록
인어공주

2023년 4월 25일 발행

글·그림 이미라

발행인 정동훈
편집인 여영아
편집책임 최유성
편집 양정희 김지용 김혜정
디자인 형태와내용사이

발행처 (주)학산문화사
등록 1995년 7월 1일
등록번호 제3-632호
주소 서울특별시 동작구 상도로 282 학산빌딩

이 책은 『인어공주를 위하여』 박스 세트의 특별 부록으로 제작되었습니다.